석탈해

궤짝에서 나와 왕이 되다

원작 일연 글 구들 그림 성호석 감수 최광식

깍깍깍 까악 까아악.

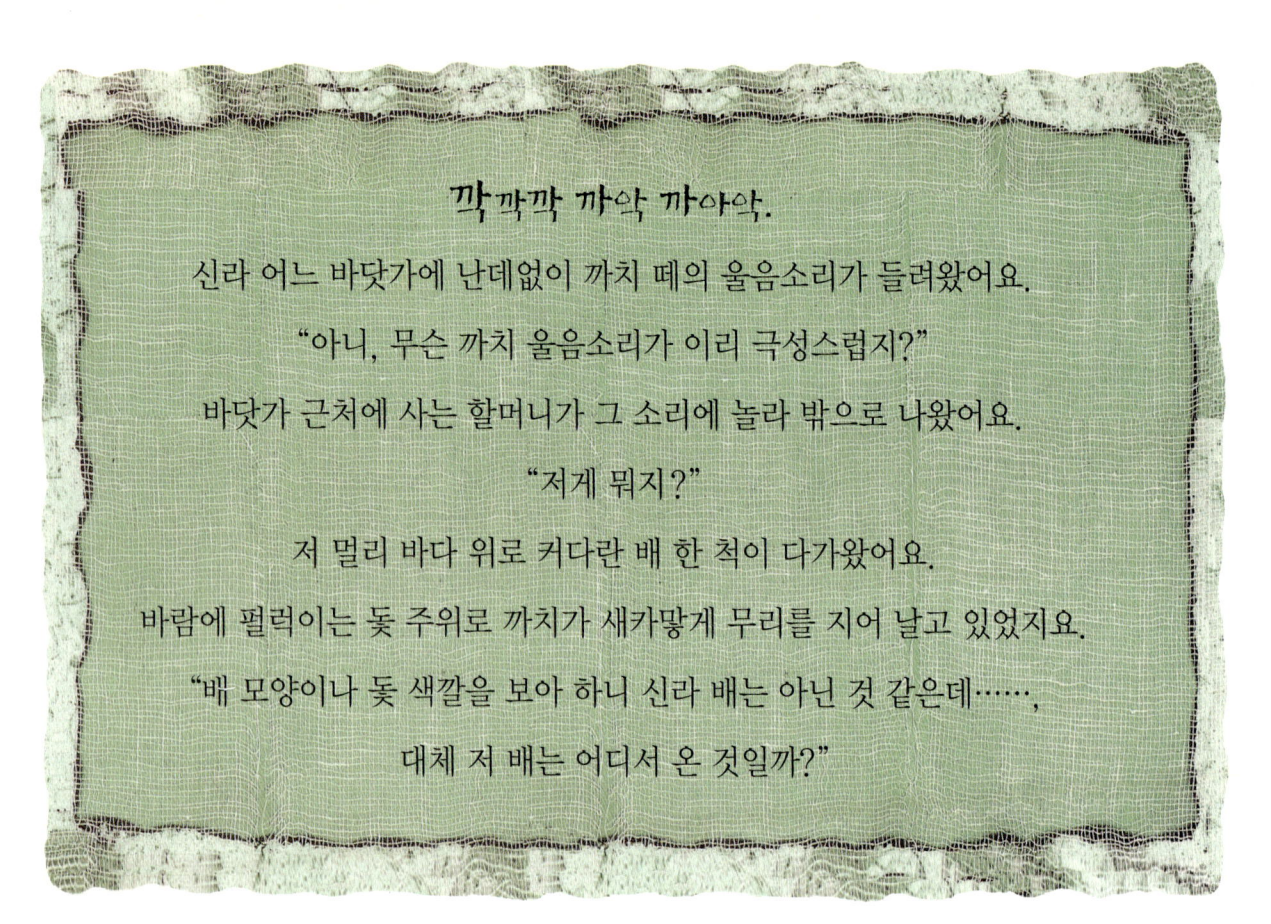

신라 어느 바닷가에 난데없이 까치 떼의 울음소리가 들려왔어요.

"아니, 무슨 까치 울음소리가 이리 극성스럽지?"

바닷가 근처에 사는 할머니가 그 소리에 놀라 밖으로 나왔어요.

"저게 뭐지?"

저 멀리 바다 위로 커다란 배 한 척이 다가왔어요.

바람에 펄럭이는 돛 주위로 까치가 새카맣게 무리를 지어 날고 있었지요.

"배 모양이나 돛 색깔을 보아 하니 신라 배는 아닌 것 같은데……,

대체 저 배는 어디서 온 것일까?"

3

배가 바닷가에 다다르자 할머니는
가까이 가 보았어요.
배에는 사람이 한 명도 없었지요.
"이상하네. 이렇게 큰 배에 사람이 한 명도 없다니…….
도대체 무슨 일이 생긴 걸까?"

배 여기저기를 기웃거리던 할머니는
배 뒤쪽에 까치 떼가 모여 있는 것을 보았어요.
'까치 떼가 바다에 있는 것도 예사롭지 않고…….
아무래도 저기에 뭔가 있을 것 같군.'
이렇게 생각한 할머니는 까치 떼가 있는 곳으로 가 보았어요.
할머니가 다가가는 소리에 놀란 까치 떼가 후드득 소리를 내며 사방으로 날아갔어요.
까치들이 날아간 자리에는 큼직한 궤짝 하나가 놓여 있었지요.

할머니는 그 안에 뭐가 들어 있을까 궁금했지만,
한편으로는 겁도 났어요.
잠시 머뭇거리던 할머니는 용기를 내어 궤짝 뚜껑을 열었지요.
"앗!"
궤짝을 연 순간 할머니가 비명을 질렀어요.
궤짝 안에서 눈부신 빛이 쏟아져 나왔거든요.

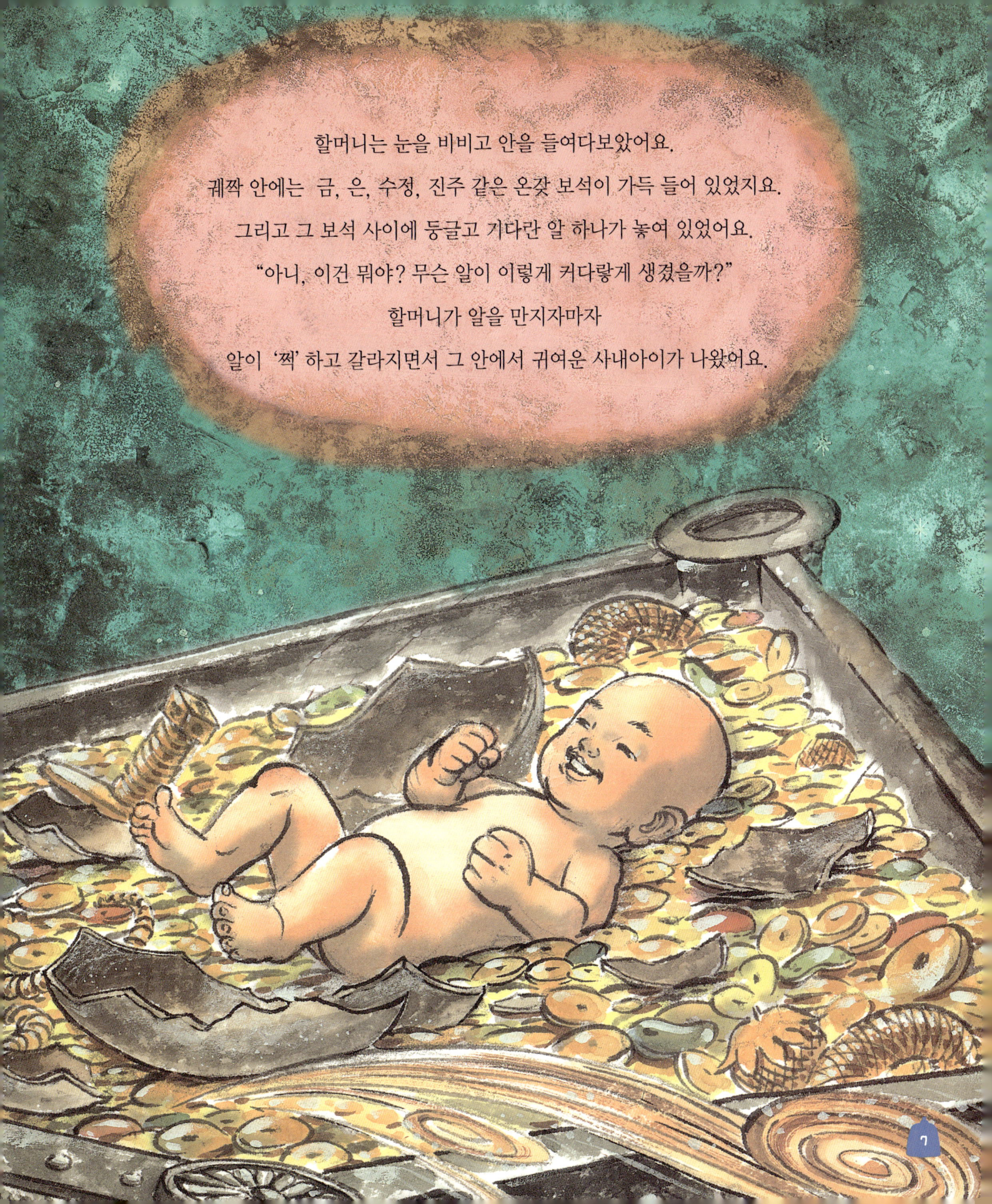

할머니는 눈을 비비고 안을 들여다보았어요.
궤짝 안에는 금, 은, 수정, 진주 같은 온갖 보석이 가득 들어 있었지요.
그리고 그 보석 사이에 둥글고 기다란 알 하나가 놓여 있었어요.
"아니, 이건 뭐야? 무슨 알이 이렇게 커다랗게 생겼을까?"
할머니가 알을 만지자마자
알이 '쩍' 하고 갈라지면서 그 안에서 귀여운 사내아이가 나왔어요.

"그놈 참 잘생겼다. 웃는 얼굴은 더 귀엽구나!"
외딴 바닷가에서 가족 없이 외롭게 살아온 할머니는
아이를 얻게 되어 몹시 기뻤어요.
할머니는 아이를 집으로 데려와 정성껏 보살폈지요.
"할머니, 대체 그 아이는 어디서 데려온 거예요?"
동네 사람들이 궁금해 하며 이렇게 물을 때마다
할머니는 활짝 웃으며 대답했어요.
"응, 얼마 전에 바다에서 데려온 아이라네."
마을 사람들은 할머니 말에 고개를 갸웃했지요.

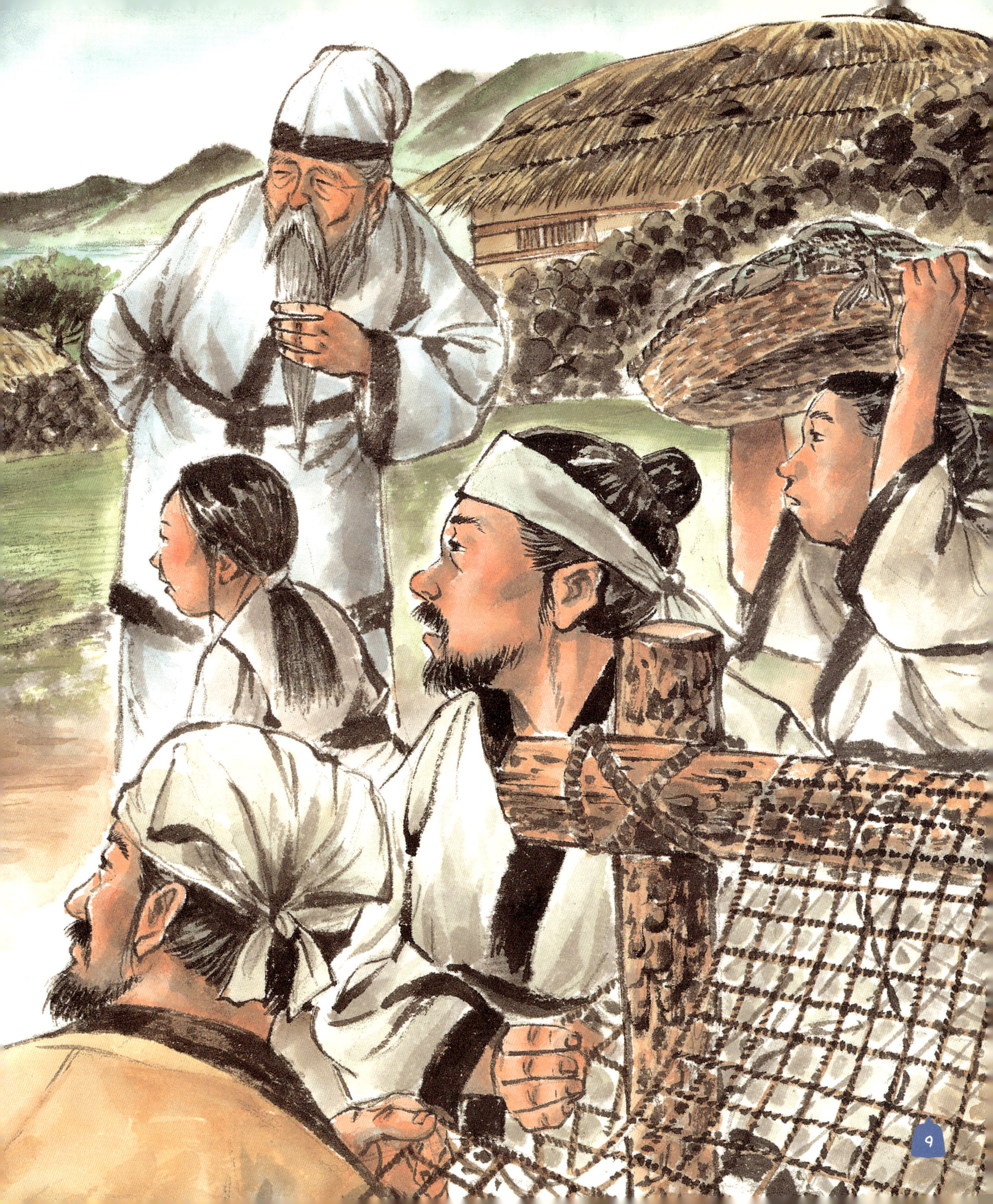

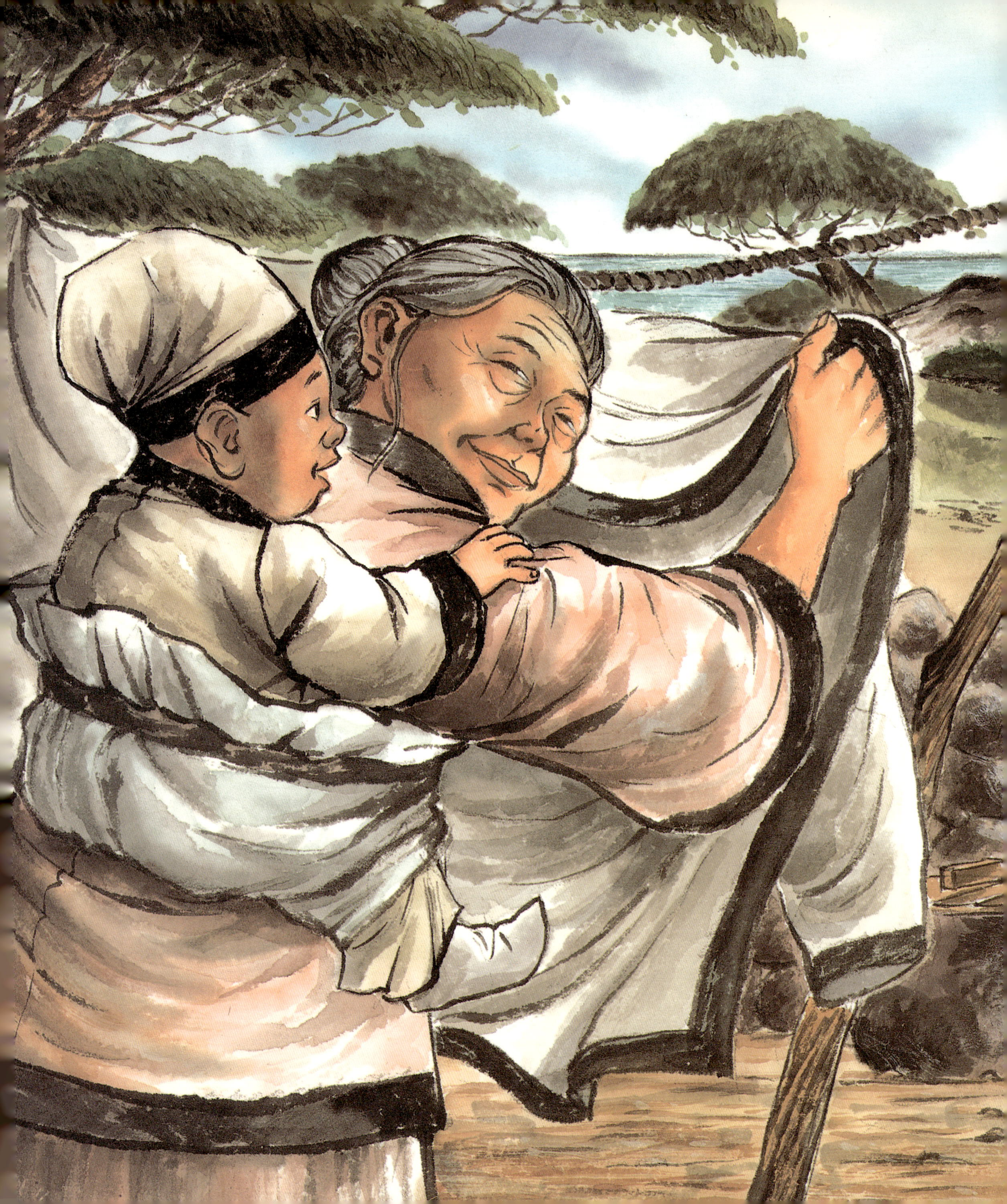

그런데 이 아이는 다른 아이들과 많이 달랐어요.
할머니가 처음 배에서 데려올 때만 해도 알에서 막 나온 갓난아이였는데
사흘이 지나자 이가 나고 일주일이 지나서부터는 엉금엉금 기기 시작한 거예요.
어느 날 할머니가 아이를 업고 마당에서 빨래를 널고 있을 때였어요.
갑자기 등에 업힌 아이가 또박또박 말을 하는 것이 아니겠어요?
"할머니, 저를 구해 주셔서 정말 고맙습니다."
"얘야, 방금 네가 말했니?"
할머니가 믿을 수 없다는 얼굴로 묻자, 아이가 고개를 끄덕였어요.
"네. 저는 사실 동해 용왕의 아들이랍니다."
"용왕의 아들이라고?"
아이의 말에 할머니는 깜짝 놀랐어요.

아이는 할머니에게 자세한 이야기를 시작했어요.

"동해 바다에 사는 용왕이 적녀국 근처의 바다를 지나다가,
우연히 적녀국 공주가 탄 배가 파도에 뒤집히는 것을 보았어요.
용왕은 공주가 바다 속으로 빠지는 것을 보고,
공주를 구해 주었지요.

적녀국 공주가 정신을 차리고 눈을 떴을 때,
두 사람은 운명처럼 사랑에 빠졌어요.
이 사실을 알게 된 용궁에서는 난리가 났고,
신하들은 두 사람의 혼인을 반대했어요.
하지만 용왕은 적녀국 공주 없이는 살 수 없었고,
적녀국 공주 역시 마찬가지였어요.

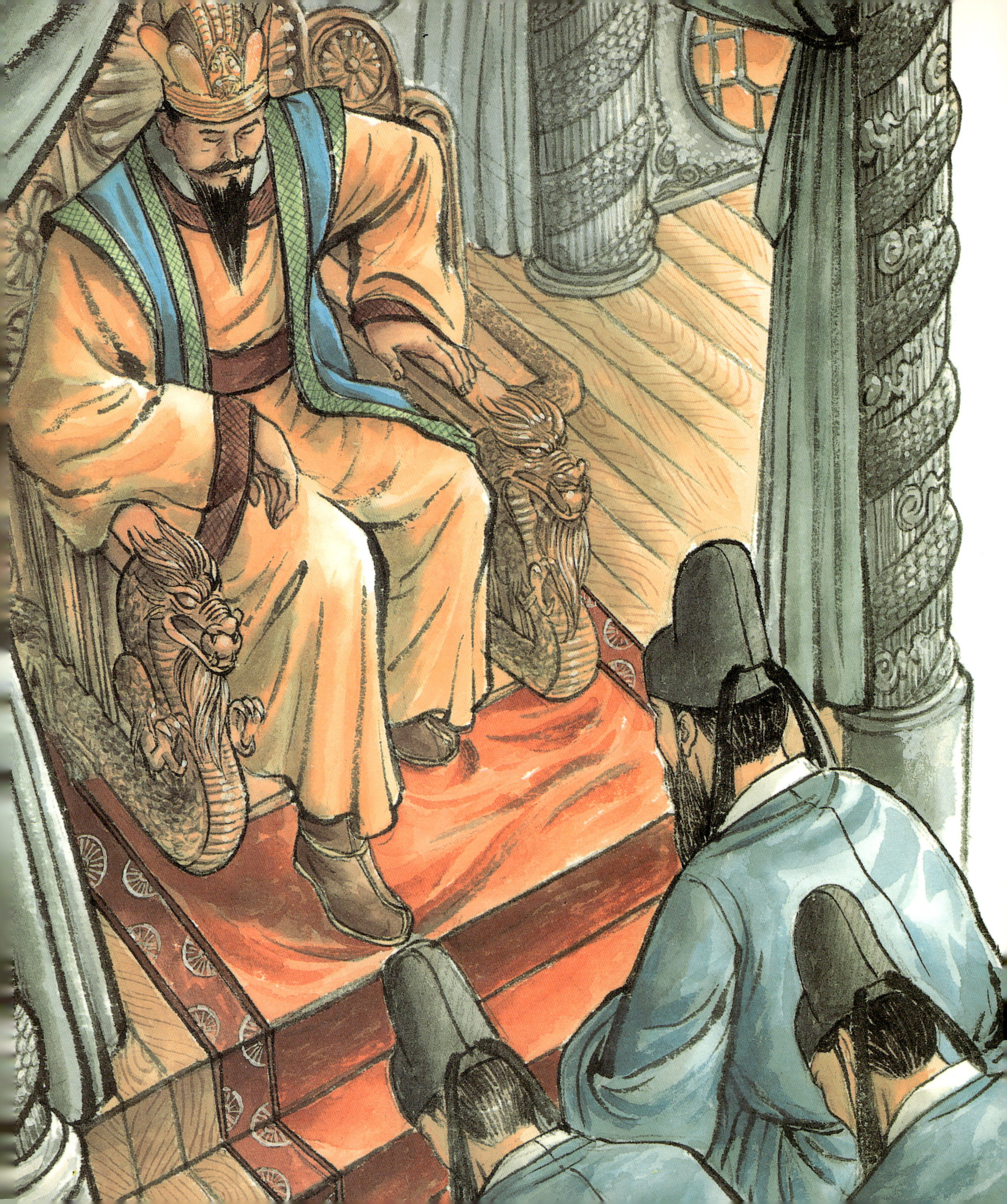

결국 용왕과 적녀국 공주는 신하들의 반대를 무릅쓰고 혼인식을 올렸어요.

하지만 어렵게 혼인한 두 사람 사이에는

7년 동안이나 자식이 없었어요.

신하들은 또다시 왕비와 헤어지라고 했지요.

그런데 7년 만에 드디어 왕비가 아이를 가졌어요.

하지만 그 행복도 잠시였어요. 왕비는 아이가 아니라 커다란 알을 낳았거든요.

신하들은 왕비와 헤어지지 않을 것이라면 그 알이라도 버리라며

용왕을 설득했어요. 이번에는 용왕도 신하들의 뜻을 꺾을 수가 없었지요.

용왕은 나라가 더 시끄러워지기 전에 알을 버리자며 왕비를 달랬지요.
왕비도 슬펐지만 어쩔 수가 없었어요.
대신 왕비는 용왕에게 부탁하여 튼튼한 궤짝에 알을 담고
커다란 배에 실어 바다 위로 올려 보내도록 부탁했어요.
그리고 사람들이 신성하게 여기는 까치에게 알을 지키도록 했지요."

١٧

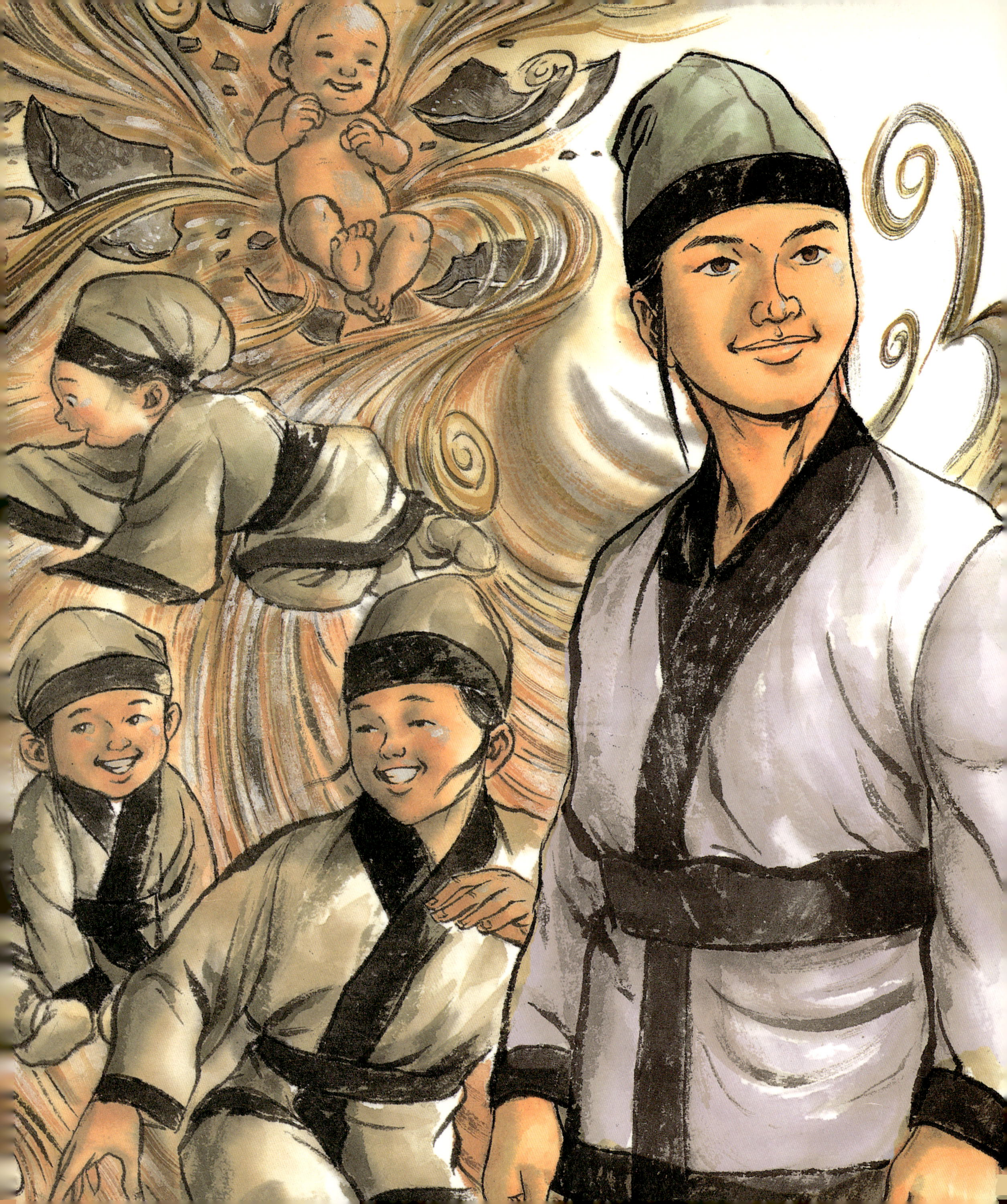

이야기를 다 듣고 난 할머니는 눈물을 흘렸어요.
"저는 바로 그 알에서 나온 것입니다.
할머니께서 저를 구해 주시지 않았다면 저는 아마 목숨을 잃었을 것입니다."
할머니는 아이에게 일렀어요.
"용왕의 아들인 너는 반드시 위대한 인물이 될 것이다.
앞으로 어떤 어려움이 있어도 용왕의 자손이라는 것을
마음에 새기고 꿋꿋하게 견뎌 내야 한다."
할머니는 문득 생각난 듯 말했어요.
"그러고 보니 아직 네 이름을 짓지 못하고 있었구나.
네 이야기를 들으니 좋은 이름이 생각났다.
까치가 가져온 궤짝에서 알을 깨고 나왔으니 성은 '석'이라 하고,
이름은 '탈해'라고 하자꾸나."
석탈해는 하루가 다르게 영특한 소년으로 자랐어요.
할머니는 석탈해가 들어 있던 궤짝에
금은보화도 함께 있었다는 것은 이야기하지 않았어요.
언젠가 석탈해가 어른이 되어 꼭 필요할 때
사용하기 위해서였지요.

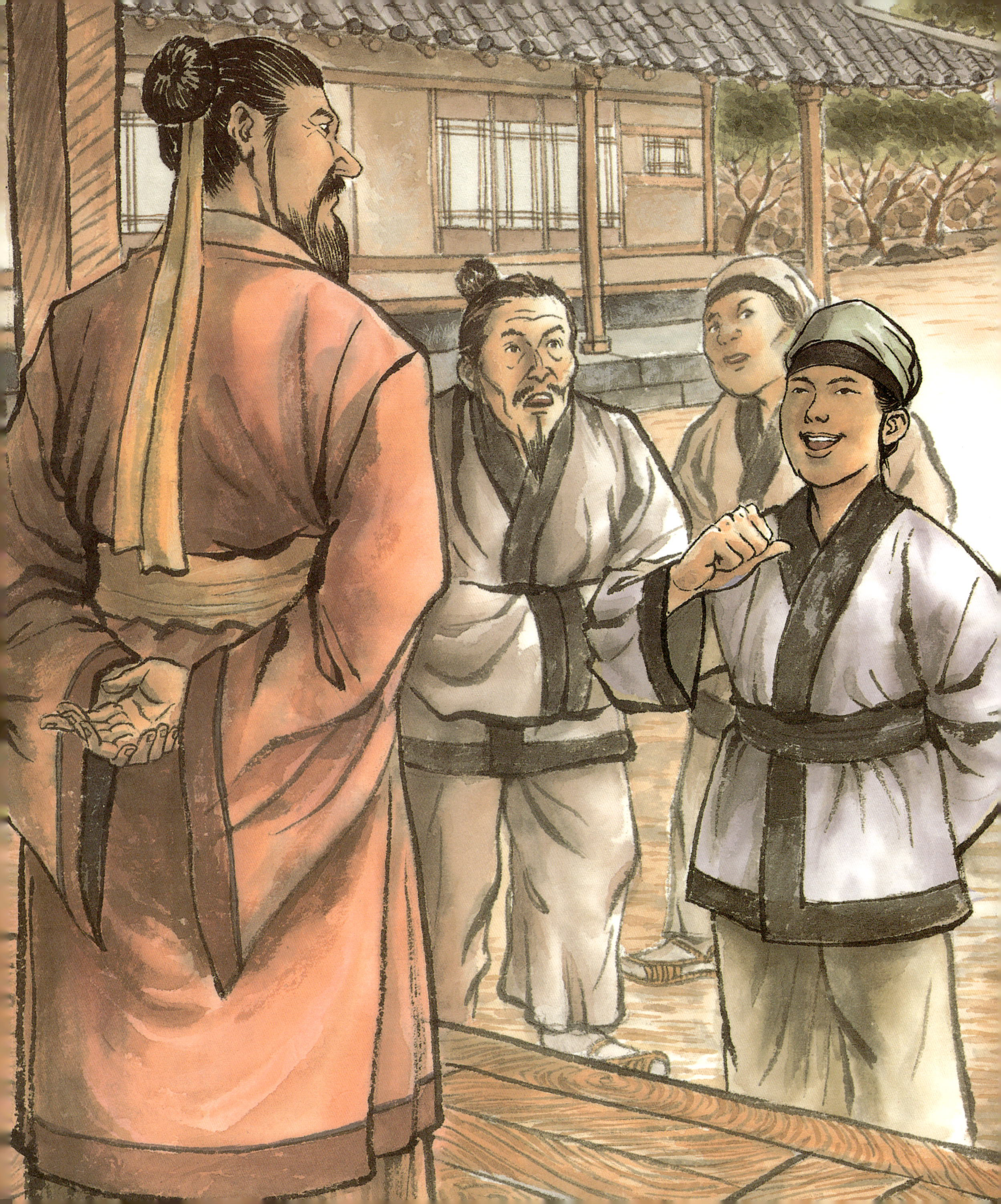

석탈해는 자라면서 더욱 의젓해졌어요.
하지만 석탈해는 집이 가난하여 할머니가 고생하시는 것이 늘 마음에 걸렸지요.
어느 날 토함산에 올라 서라벌의 경치를 내려다보던 석탈해의 눈에
크고 멋진 집 한 채가 들어왔어요. 집 앞으로는 맑은 시내가 흐르고
뒷편으로는 아름다운 산이 있는 그 집은 부자 호공의 집이었어요.
'나를 키우느라 고생하시는 할머니께 저 집을 꼭 드려야지.'
이렇게 생각한 석탈해는 그날 밤 호공의 집에 몰래 들어가
마당에 숫돌*과 숯토막을 묻어 놓았지요.
그리고 날이 밝자 시치미를 떼고 호공을 찾아가 말했어요.
"이 집은 먼 옛날 제 조상이 살았던 집이니
이제는 저에게 돌려주셔야겠습니다."
호공은 기가 막혀 물었어요.
"도대체 무슨 잠꼬대 같은 소리냐?
어째서 이 집이 네 조상의 집이라는 것이냐?
그 말이 사실이라는 증거라도 있느냐?"
석탈해는 눈 하나 깜짝하지 않고 당당하게 말했어요.
"그렇다면 내일 관아에 가서 재판을 받도록 합시다."

*숫돌 : 칼이나 가위의 날을 예리하게 가는 데 사용하는 도구

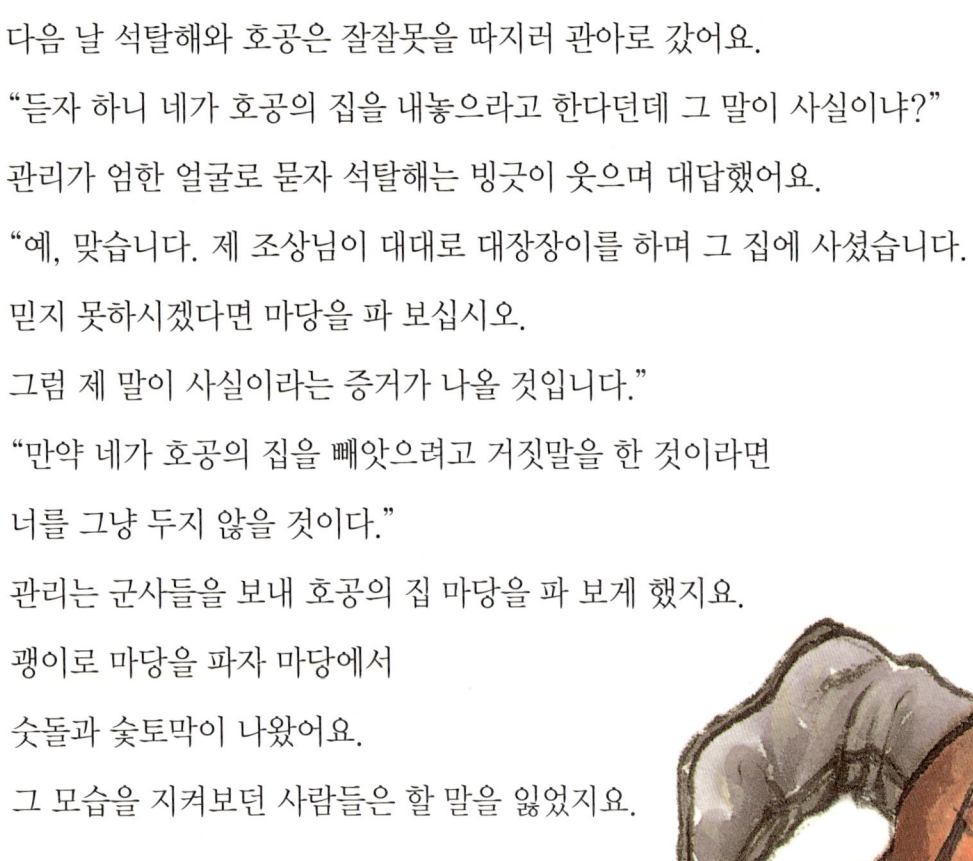

다음 날 석탈해와 호공은 잘잘못을 따지러 관아로 갔어요.
"듣자 하니 네가 호공의 집을 내놓으라고 한다던데 그 말이 사실이냐?"
관리가 엄한 얼굴로 묻자 석탈해는 빙긋이 웃으며 대답했어요.
"예, 맞습니다. 제 조상님이 대대로 대장장이를 하며 그 집에 사셨습니다.
믿지 못하시겠다면 마당을 파 보십시오.
그럼 제 말이 사실이라는 증거가 나올 것입니다."
"만약 네가 호공의 집을 빼앗으려고 거짓말을 한 것이라면
너를 그냥 두지 않을 것이다."
관리는 군사들을 보내 호공의 집 마당을 파 보게 했지요.
괭이로 마당을 파자 마당에서
숫돌과 숯토막이 나왔어요.
그 모습을 지켜보던 사람들은 할 말을 잃었지요.

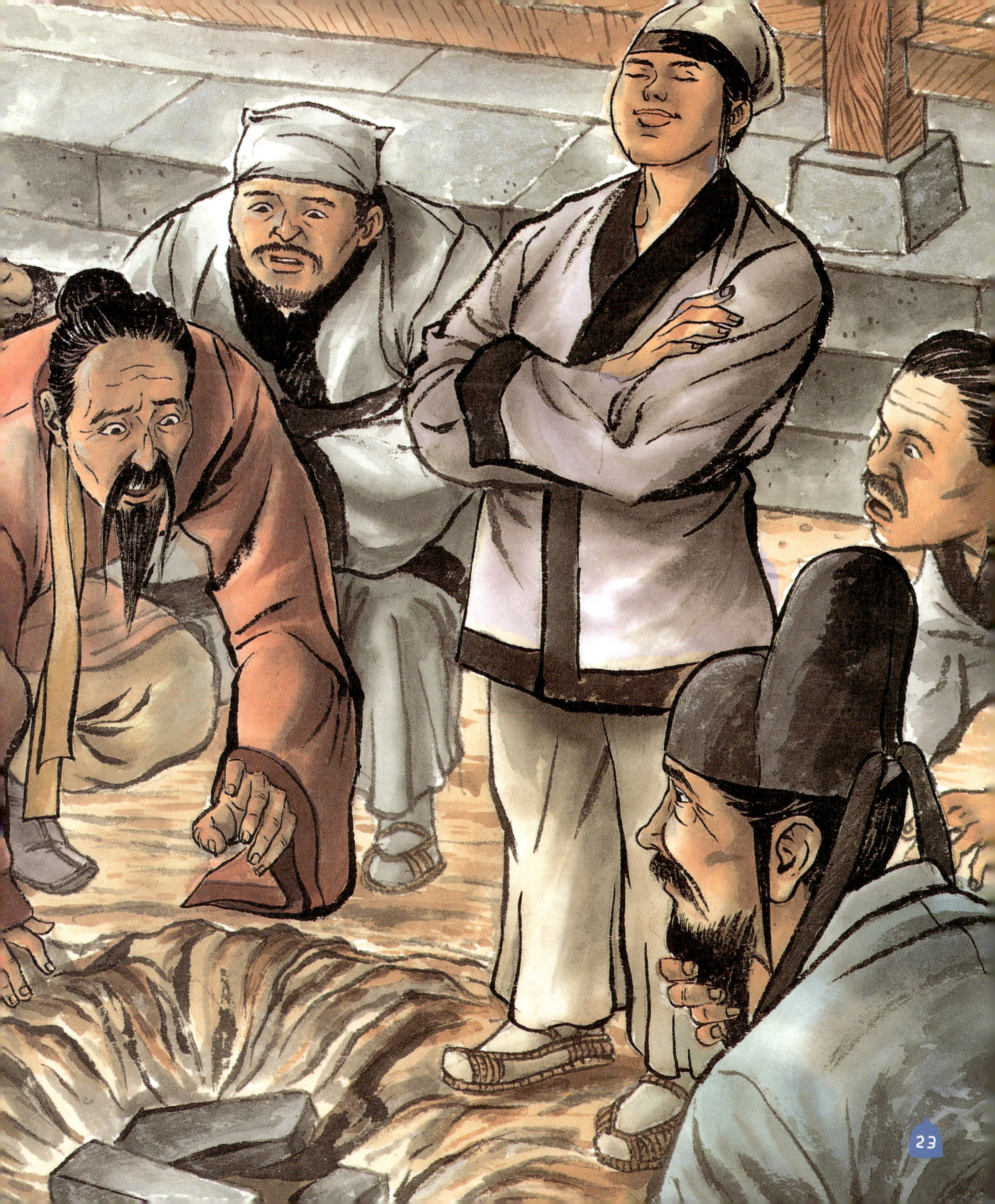

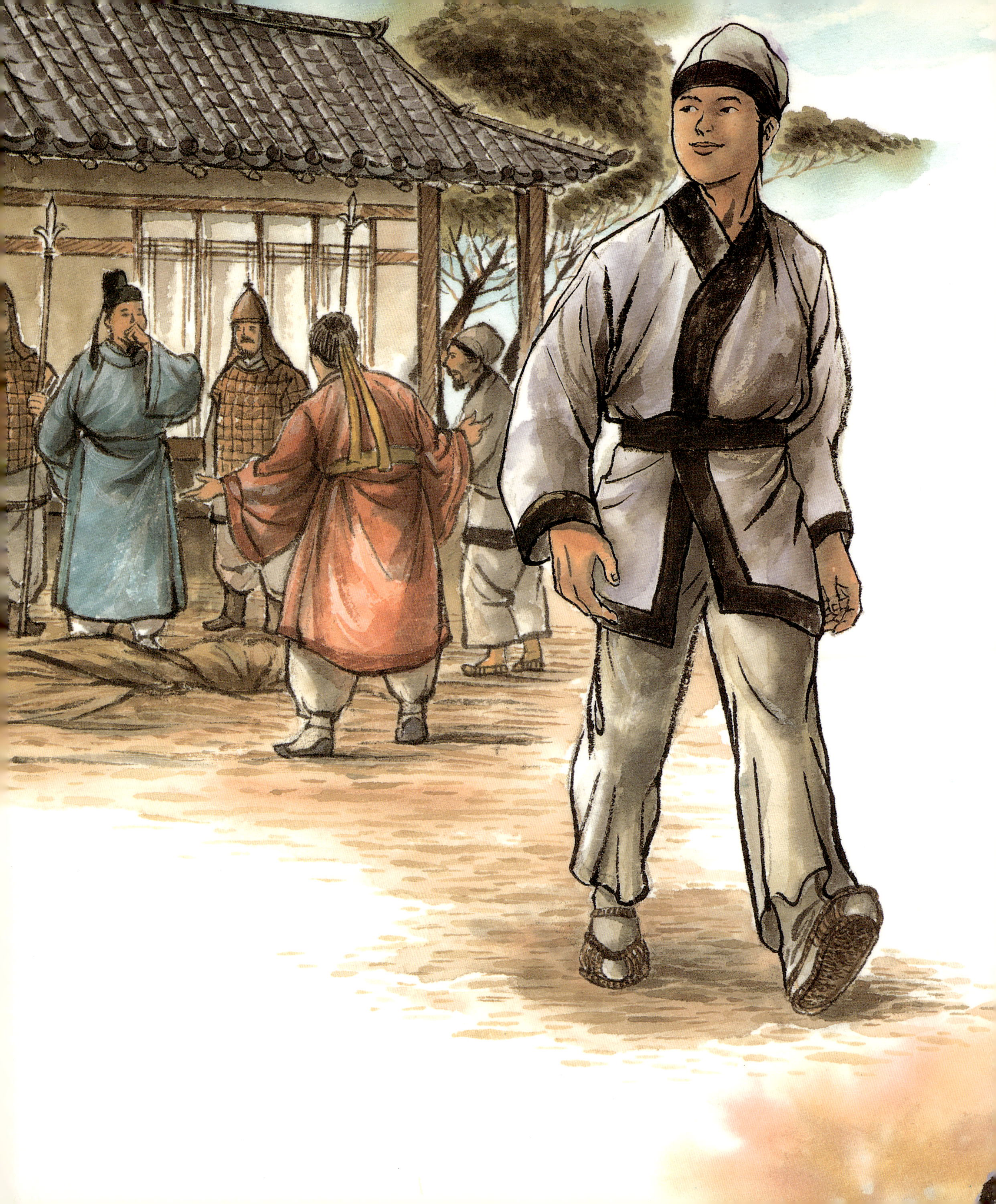

호공은 펄쩍 뛰었지만 관아에서 내린 판결을 뒤집을 수는 없었어요.

결국 그 집은 석탈해의 것이 되었지요.

석탈해는 의기양양하게 집으로 돌아와 할머니께 자신이 한 일을 말했어요.

"할머니! 어서 짐을 싸세요. 오늘부터 우리는 으리으리한 집에서 살게 되었어요."

하지만 할머니는 화난 얼굴로 석탈해를 꾸짖었어요.

"석탈해야, 꾀를 써서 남의 집을 빼앗는 것은 아주 나쁜 일이다.

당장 호공에게 집을 돌려주도록 해라."

"할머니, 거짓말한 것이 밝혀지면 저는 분명 큰 벌을 받을 거예요."

할머니는 석탈해에게 말했어요.

"그렇다면 호공에게 사과한 뒤, 돈을 주고 떳떳하게 그 집을 사거라."

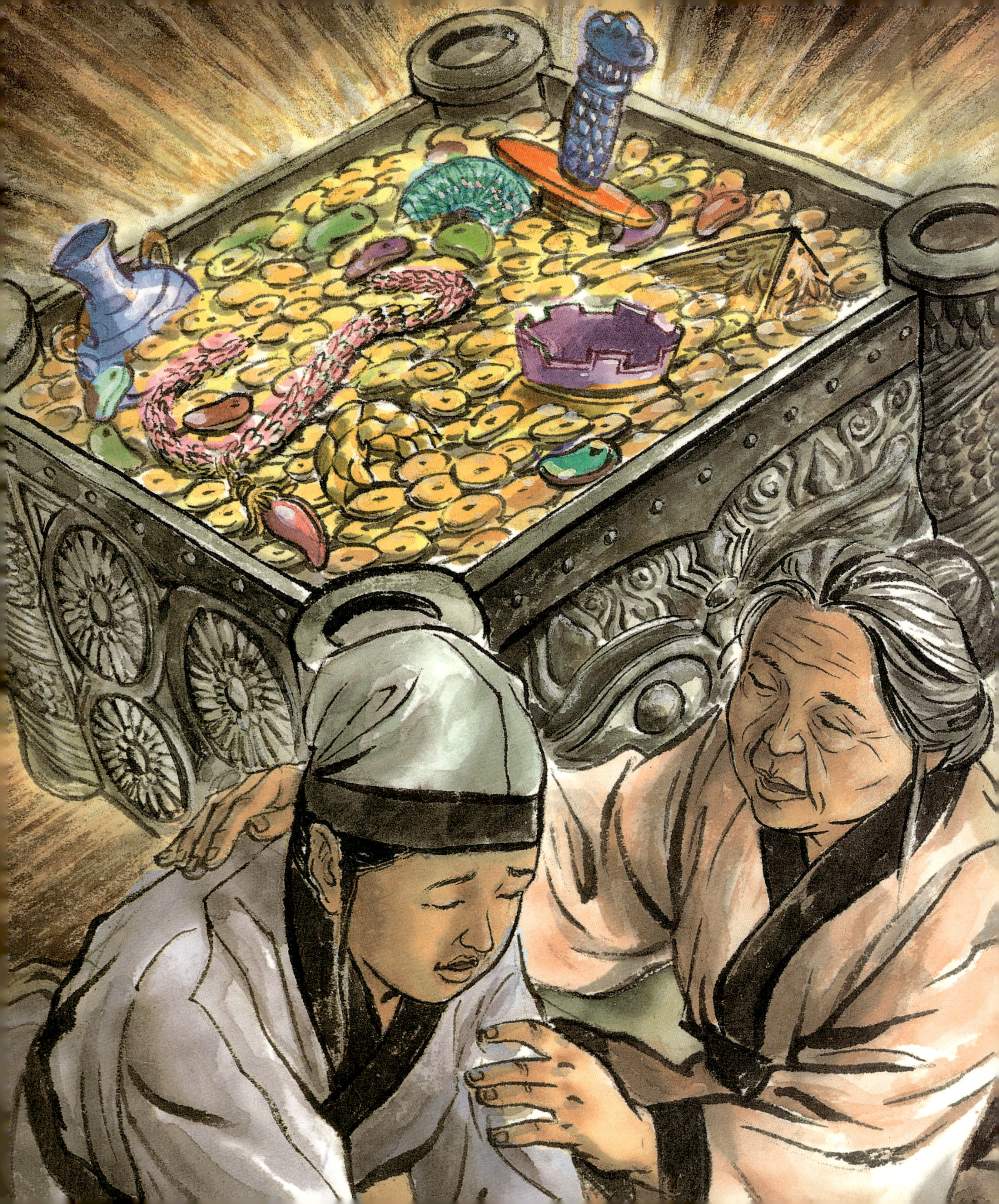

"할머니, 제게 무슨 돈이 있다고 그런 말씀을 하세요?"
그러자 할머니가 집 안 깊숙이 숨겨 두었던 궤짝을 꺼내 왔어요.
할머니가 궤짝의 뚜껑을 열자 금은보화가 눈부시게 빛났어요.
"이건 네가 들어 있던 궤짝이란다.
나는 네가 반듯하게 자라기를 바라는 마음으로 이 보물을 숨겨 두었단다.
이 보물을 꺼내 쓰고 싶은 때도 많았지만,
네가 크면 더 좋은 일에 쓰려고 참아 왔단다.
그러니 이 보물을 호공에게 가져다주고 용서를 빌도록 해라."
석탈해는 눈물을 흘리며 할머니 앞에 무릎을 꿇었어요.
"제가 잘못했습니다. 할머니 말씀을 따르겠어요."
할머니는 석탈해를 쓰다듬으며 말했어요.
"석탈해야, 너는 너의 뛰어난 능력을 나쁜 일에 썼다.
앞으로는 부디 네 재능을 세상을 이롭게 하는 데에만 쓰도록 하거라."
석탈해는 호공에게 가서 용서를 빌고 자신의 행동을 반성했어요.
그리고 나머지 보물을 가난하고 불쌍한 이웃들에게 나눠 주었어요.
석탈해에 대한 소문은 신라 곳곳에 퍼져 칭찬이 자자했어요.

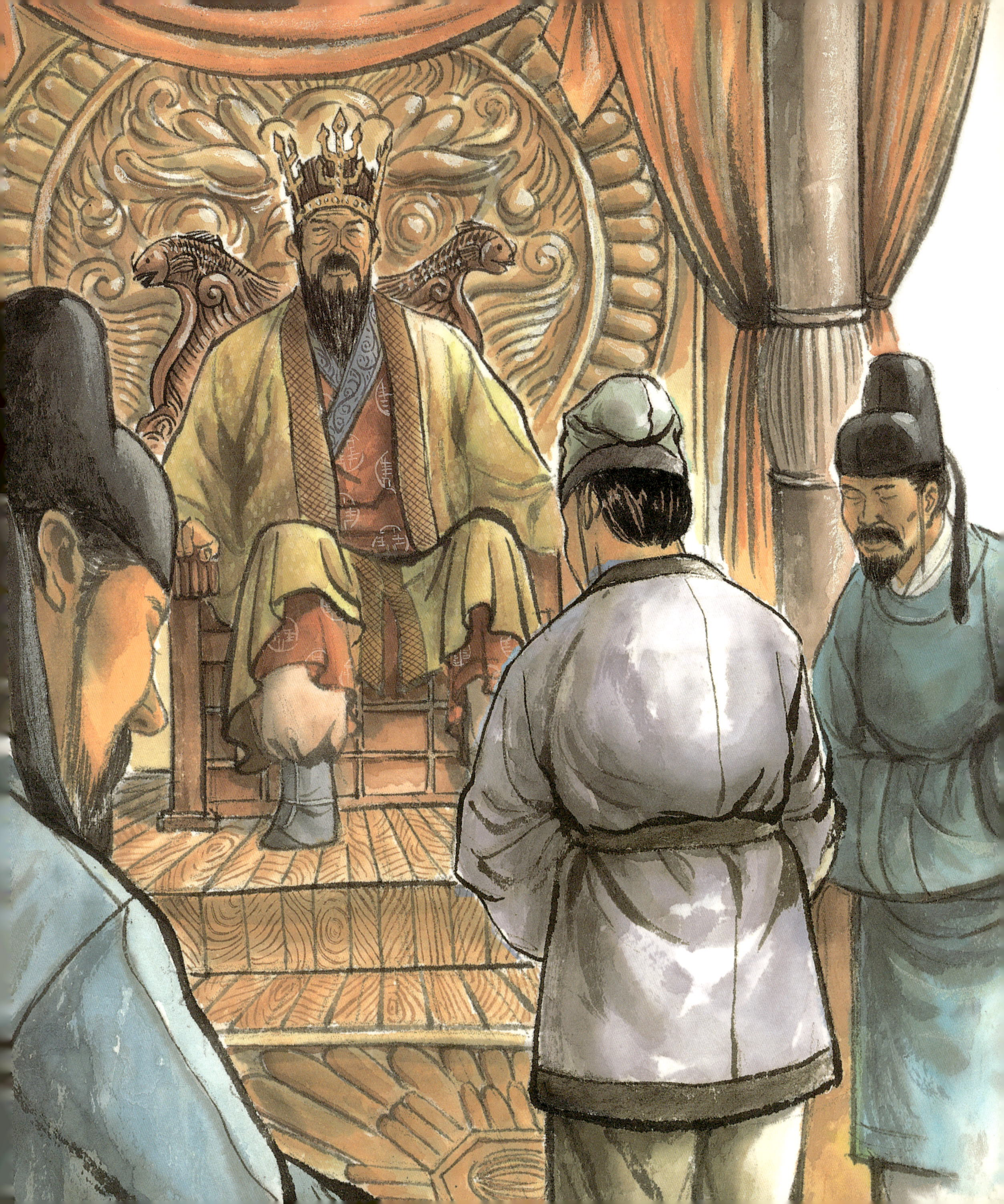

석탈해 이야기는 남해왕의 귀에도 들어갔어요. 남해왕은 석탈해를 대궐로 불렀어요.

석탈해를 만나 본 남해왕은 석탈해의 지혜와 곧은 품성에 감동을 받았지요.

"과연 듣던 대로 그대는 훌륭한 젊은이구려.

내 자네를 사위로 삼고 싶은데, 그대의 생각은 어떠한고?"

그리하여 석탈해는 남해왕의 공주와 혼인식을 올렸어요.

얼마 후 남해왕이 세상을 떠났어요.

그리고 남해왕의 유언에 따라 유리왕이 왕위를 이었어요.

석탈해는 유리왕을 도와 신라를 살기 좋은 나라로 만들었지요.

그리고 유리왕이 세상을 떠나자

그 뒤를 이어 석탈해가 신라 제4대 탈해왕이 되었답니다.

탈해왕은 왕위에 있는 기간 동안 정성을 다해

백성을 보살피고 아꼈어요.

그래서 오랫동안 많은 사람들의 칭송을 받았답니다.

재치와 노력으로 왕이 된

석탈해

《삼국유사》에 의하면 용성국 왕이 적녀국 공주를 아내로 맞아 7년 만에 큰 알을 하나 낳았는데, 사람이 알을 낳은 것은 불길한 조짐이라 여겨 알을 버리게 하였습니다. 그 알에서 태어난 사람이 바로 석탈해이지요. 여기까지 보면, 석탈해는 태어난 부모로부터 버림받고 조국에서 내쫓긴 불행한 왕자일 뿐이지요.

그러나 석탈해는 신라에 뿌리를 내리고 노력한 덕분에 신라 제2대 왕인 남해왕의 사위가 됩니다. 그리고 마침내는 신라의 네 번째 왕의 자리에까지 오르게 되지요. 가야의 시조 김수로왕의 설화에도 석탈해가 등장하는데, 가야에서 왕위를 놓고 김수로왕과 싸움을 하여 패한 뒤 신라로 달아났다고 합니다. 그런데 이 이야기대로라면 석탈해가 신라의 아진포에 도착했을 때 궤짝 속의 알에서 나왔다는 것은 말이 되지 않지요. 김수로왕과 왕위 싸움까지 하고 신라로 도망쳐 왔다면, 어른의 모습을 하고 있어야 옳은 것이겠지요.

그렇다면 왜 이러한 탄생설화가 지금까지 전해지는 걸까요? 아무리 석탈해가 뛰어난 능력을 갖고 있어도 신라인들에게 석탈해는 여전히 외국인일 뿐이었어요. 그래서 석탈해를 따르는 사람들은 석탈해의 약점을 보완하기 위해 석탈해의 탄생에 대해 이야기를 꾸며 낸 것이랍니다. 운명을 탓하지 않고 자신의 힘으로 꿈을 이룬 석탈해 이야기에서 우리는 포기하지 않고 도전하는 정신을 본받을 수 있답니다.

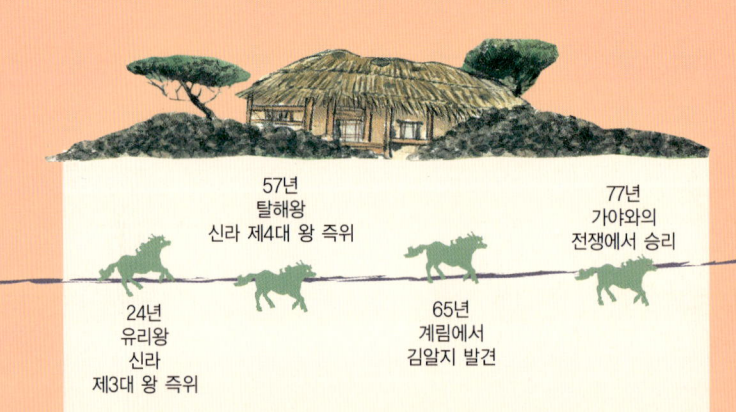

"석탈해는 조국에서 쫓겨난 비운의 왕자였지만 자신의 노력으로 신라의 왕이 되었어요."

- 기원전 57년 신라 건국
- 기원전 37년 금성 쌓음
- 24년 유리왕 신라 제3대 왕 즉위
- 57년 탈해왕 신라 제4대 왕 즉위
- 65년 계림에서 김알지 발견
- 77년 가야와의 전쟁에서 승리

석탈해와 관련 있는 인물들

호공

《삼국사기》에 의하면 호공은 본래 일본 사람으로, 표주박을 차고 바다를 건너 신라로 왔으므로 호공이라 불렸다고 합니다. 호공은 신라 시조 박혁거세 때 마한에 사신으로 파견되었고, 계림에서 김알지를 발견하여 탈해왕에게 알려 주기도 했습니다.

남해왕 : 신라 제2대 왕

박혁거세와 알영 부인의 첫째 아들로 왕위에 있었던 기간은 4~24년입니다. 남해차차웅 또는 남해거서간이라고도 부릅니다. 신라 해안을 침략한 왜구를 물리치기도 했습니다.

알고 싶은 요모조모

석탈해의 조국 '용성국'

석탈해는 자신을 용왕의 아들이라고 했습니다. 그러나 용왕은 상상 속에나 존재하는 것이지요. 역사학자들은 석탈해가 자신의 조상이 대장장이였다고 말한 점을 들어 석탈해가 철을 다루는 기술을 가진 집단 출신이었다고 봅니다. 철기를 바탕으로 한 무력을 발판 삼아 신라의 왕위에 오를 수 있었다는 것이지요.

- 512년 우산국 정복
- 532년 금관가야 정복
- 660년 백제 정복
- 668년 고구려 정복
- 676년 삼국 통일 통일 신라 시대 시작
- 751년 불국사 창건
- 828년 청해진 설치
- 935년 신라 멸망

궁금증을 풀어 주는 # 미로여행

Q1
석탈해라는 이름에 특별한 뜻이 있나요?

Q2
까치들이 어떻게 석탈해를 지켜 주었을까요?

Q3
유리왕 다음에 어떻게 석탈해가 왕이 되었나요?

Q4
석탈해는 훌륭한 왕이었나요?

'석탈해'의 이름을 한자로 풀이하면 **까치의 도움으로 알에서 나온 사람**이라는 뜻이에요. 석탈해는 석씨의 시조이기도 하지요.

아마도 석탈해가 용성국을 떠날 때 석탈해를 따라나섰던 사람들을 **까치**로 표현했을 거예요.

석탈해가 왕이 된 것은 제2대 왕인 **남해왕**의 유언 때문이지요. 남해왕이 죽기 전 자신의 아들 유리와 사위 탈해에게 앞으로 박씨와 석씨, 두 가문이 돌아가면서 왕을 맡으라고 유언을 남겼답니다.

57년에 왕이 된 석탈해는 백제, 가야와 싸우면서 **영토**를 넓혔어요. 또한 국호를 계림으로 정하고 주주, 군주 등과 같은 관직을 만들어 신라 각 지역을 잘 다스리게 했답니다.